Cómo contactar
con tu Ángel guardián

Cómo contactar
con tu Ángel guardián

EDITORIAL ÉPOCA, S.A. de C.V.
Emperadores No. 185
Col. Portales
03300 México, D.F.

Cómo contactar con tu Ángel guardián

© Derechos reservados
© Por Editorial Época, S.A. de C.V.
Emperadores No. 185
03300-México, D.F.
E-mail: edesa@data.net.mx

ISBN-970-62-7315-2

Impreso en México - *Printed in Mexico*

Introducción

¿Cuál es el ángel que te protege? Sin duda es la pregunta que te haces con más frecuencia durante tu vida; pero lo más importante es señalar que los ángeles existen. Son seres que gracias a su inteligencia, sensibilidad, sabiduría y comprensión se encuentran siempre junto a nosotros para que en cualquier momento en que nos encontremos solos o en dificultades podamos contar con su ayuda.

Estos seres viven en la presencia de Dios. Cuando están presentes en nuestra conciencia humana nos inspiran a contactar la esencia de todo lo que existe y a no olvidar nuestro origen espiritual, lo que nos ayuda a hacer claros nuestros verdaderos propósitos en la vida. Los ángeles siempre acuden para ayudarnos a disolver los conceptos cristalizados que nos impiden entrar en contacto con la fuente de la sabiduría.

La tarea que les ha sido encomendada a estos seres es cambiar el curso de los intereses humanos que todavía siguen las oraciones del pensamiento y de la acción concentrados en el amor y ese amor ha sido canalizado a través de todos los seres humanos, cuya conciencia está abierta para vivir con los ángeles; un compartir interior

que si lo buscas cada vez se portará más natural. La verdadera comunicación que existe entre nosotros y los ángeles es por medio de nuestro corazón, capacidad que tenemos presente cada momento de nuestra vida.

Los ángeles buscan una entrada en nuestra conciencia a través de nuestros pensamientos y sueños; es hora de que les abras la puerta; no sólo busques saber quién te protege, sino que mejor busca el contacto físico e intelectual con aquel ser que te ha sido designado desde el primer día de tu vida. Aquí encontrarás los mejores métodos para desarrollar tus puntos de energía, mejor conocidos como chakras, para poder tener una comunicación permanente con tu Ángel guardián.

Evolución de la divinidad

Desde tiempos remotos el hombre comenzó a tomar conciencia de su existencia; se relacionó con el mundo y empezó a comprender que existían leyes, principios y mecanismos que animaban todos los procesos de la naturaleza en la cual estaba inserto. Nuestros antepasados comprendieron esas leyes como inteligencias a las cuales llamaron espíritus o dioses; a éstos se les atribuía el poder de crear y regir todos los eventos que formaban parte de la vida.

En cada civilización surgió un dios que personificaba a las distintas fuerzas naturales. Aún desde aquellos tiempos, el hombre intuía que existía un orden primordial sobre todos los eventos de la vida. Con el surgimiento del pueblo hebreo y del judaísmo como primera religión monoteísta, el concepto de divinidad comenzó a transformarse; ya no habían muchos dioses, sino que existía un único dios creador del universo del cual provenía todo el orden.

De esta manera surge la aceptación de la existencia de seres supremos que representan a Dios y los cuales fueron creados al mismo tiempo que al hombre; los ángeles, una función inteligente creada por Dios para servir al hombre y al cosmos, carecen de la potencia del alma, por lo que tienen un cuerpo sutil correspondiente al elemento cósmico fuego, aunque puede mostrarse con un cuerpo plasmado, similar al del hombre. Es por ello que a lo largo de los años han surgido historias, narraciones y versiones que nos muestran que los ángeles sí existen y han estado con nosotros desde el principio de los tiempos.

¿Qué son los ángeles?

La respuesta a esa interrogante la han estado buscando, desde hace siglos, millones de personas. Originalmente la palabra proviene de Grecia: *Angelos* o *Angelus;* luego la adoptan los romanos: *Angelum,* que significa "mensajero" y se les cataloga como espíritus celestes creados por Dios para realizar misiones especiales con relación a la humanidad. Sabemos entonces por esta descripción que su nombre significa su oficio y no su origen.

Son seres de luz, notablemente cálidos y quienes los han visto se refieren a ellos con reverencia y describen su luz asombrosa y brillante, de colores intensos o con una cegadora blancura; pueden presentarse como un pensamiento que asalta a nuestra mente, como una sensación o como voces sin cuerpo. También como visiones, sueños o adoptando forma humana; son mensajeros de la divinidad y emanan serenidad. Las personas que han recibido su visita han tenido la sensación de haber sido rozadas por alas silenciosas. Quienes se encuentran con un ángel nunca vuelven a ser lo que eran antes de ese encuentro. Se dice que los ángeles suelen aparecer con más frecuencia a los niños, santos e inocentes; que tal vez tengan una percepción más clara que la nuestra.

¿De qué se componen los ángeles?

Los ángeles, al igual que todo ser, se compone de luz, mejor conocida como energía; incluso nosotros los humanos también tenemos nuestra energía llamada alma, la cual está en constante comunicación con el mundo espiritual aunque no lo parezca.

La energía-luz, que procede del Padre, es de una irradiación blanca, celeste, transparente y pura. Esta energía divina lleva en sí los restantes 6 rayos de manifestación. En lo físico, descomponemos la luz blanca enfocándola en un prisma y tenemos el espectro total de colores. Podemos ver esto en la naturaleza. Millones de pequeñas gotas de agua suspendidas en la atmósfera, descomponen la luz blanca transparente solar, conformando el bello arcoiris. De acuerdo a la ley metafísica de la correspondencia, como es arriba es abajo, como es en el micro es en el macro. La luz divina que emana nuestro Padre es la vida manifestándose en forma continua y constante. Esta energía de luz llega hasta nuestro sol central, donde gira orbitando nuestro sol físico. Quizá esto no quede muy claro pero lo iremos analizando detenidamente más adelante.

El logos solar, actuando como prisma espiritual, descompone el rayo blanco primordial, proyectando éste jun-

to a los 6 rayos restantes hacia nuestro logos planetario. De la misma forma, nuestro logos solar proyecta los 7 rayos hacia los directores (logos) de los demás planetas del Sistema Solar. Estos 7 rayos de luz espiritual llegan a nuestro planeta y son dirigidos por el logos planetario a los 7 arcángeles solares para que ellos de 7 en 7 los hagan llegar a nosotros.

Estos rayos de vida primordial ingresan por nuestras cabezas (centro coronario) y se anclan en nuestro corazón, alimentando la llama energética trina en nuestro centro de conciencia cardiaco. Esta divina llama es la energía-luz que moviliza a nuestros cuerpos inferiores dotándolos de vida. Nadie está desconectado del cosmos. Todos estamos conectados a través de estos rayos de luz de nuestro sol central. Por eso, podemos afirmar con plena certeza que: "Yo y mi Padre somos uno, junto a todos mis hermanos del universo".

Es decir, todo ser material e inmaterial, están conectados por centros de energía que nos permiten vivir. Los ángeles son como nuestros hermanos mayores, que están al pendiente de nosotros; ellos nos guían y protegen durante nuestra estancia en la Tierra. Todo ser está en constante evolución. Nosotros los humanos estamos comenzando esa evolución, sin embargo, tenemos en nuestro interior aquella energía que si la desarrollamos podemos mantener un contacto pleno con nuestro hermano mayor, nuestro Ángel guardián.

Volviendo a los rayos, los 7 son de un color muy bello, difícil de comparar con los colores que ven nuestros ojos físicos. Para ayudar a la comprensión, visualización y aplicación de estos rayos, se les asignan colores algo semejantes a los que conocemos en el plano físico.

Para poder tener contacto con nuestro Ángel guardián, necesitamos seguir las técnicas de luz, las cuales son Métodos (es decir caminos a seguir) para este caso hacer contacto con los ángeles.

Son rituales de Invocación que se pueden conseguir:

- Orando.
- Meditando.
- Cantando, etcétera.

Para entrar en un estado de armonización psicoespiritual más cercano al mundo sutil angélico, los ángeles descienden del cielo a la Tierra. Su oficio es ser mensajeros y su esencia, el Puro Espíritu. Todos sabemos pero muchos hemos olvidado que tenemos un "ayudante invisible" por así decirlo, que nos guía, nos protege y nos acompaña caminando a nuestro lado. Y es sobre todo con este Ángel guardián, compañero inseparable con el que nos reconectamos en nuestros ejercicios.

La Meditación es el camino más corto y bello de llegar a los ángeles. Meditar es orar pero teniendo luego una actitud pasiva, abierta, "escuchando y viendo" más allá de los sentidos. Aquí es cuando llega la respuesta de Dios a nuestras plegarias. Aunque para tener contacto con ellos, varios autores manejan los siguientes requisitos.

- El deseo ferviente y la plena intención de lograrlo.

- Trabajar la intuición y abrir el corazón (no necesitando "ver para creer" sino "creer para poder ver".

- Disponer de cierto tiempo y disciplina para buscar el contacto.

- Paciencia, pues para el contacto son muy útiles la respiración y la relajación sobre todo con luz y color, ya que cuando abandonamos la tensión física y emocional podemos crear un espacio para que la intuición ingrese en nuestra percepción corriente.

- Silencio: es necesaria una cierta quietud interior y receptividad.

- La fe o creencia de que nosotros podemos lograrlo.

- Aceptación: entregándose a la experiencia sin juzgarla y por sobre todo sin tratar de que sea como nos gustaría que fuera o como pensamos que "debería ser".

- Coraje: habrá veces que nos desilusionaremos si no nos conectamos o si hay temores bloquearíamos la experiencia.

- Esperanza, es decir, una "espera" en el corazón.

- Y por sobre todo, AMOR.

El lenguaje de los ángeles

Muchas personas piensan, y algunas sostienen, que los ángeles tienen un lenguaje en particular, pero esto no es así. ¿Qué lenguaje emplean los santos para dar a entender su mensaje, o qué lenguaje emplea la Virgen cuando se quiere comunicar con alguien? Generalmente el mismo que habla la persona con la que tienen el contacto.

Debemos entender que los ángeles no tienen un lenguaje como los humanos, ya que la voz es un fenómeno físico. Sin embargo, pueden transmitir un mensaje que nuestra mentalidad decodifica de acuerdo a los valores semánticos de cada idioma original; de cada cultura y lenguaje.

Los nombres tradicionales hebreos nos han llegado a través de la religión, de cada país y cada cultura cristianizada que le ha puesto la pronunciación propia de su lengua, así es como Mikeiel en hebreo es Miguel en castellano, Mijail en ruso, Michael en inglés, Michel en francés, Michelangelo en italiano y así sucesivamente, por todos los idiomas que lo evoquen. En todo caso, el más original es aquel en donde se pronunció por primera vez. Y el Arcángel Miguel llega a cualquiera que lo evoque sin importar si su nombre se pronuncia en castellano, inglés o francés.

Para establecer una comunicación angelical no hace falta estar preparado como cuando uno va a una academia a aprender un idioma extranjero; no hace falta adornarse de palabras y significados exóticos que sin ningún sentido tratan de expresar una realidad subjetiva que sólo afecta a la conciencia de quien recibe la comunicación. Ninguna entidad espiritual verdaderamente elevada se comunicará con un terrestre para que éste no le entienda. Pueden existir comunicaciones incomprensibles, pero no son ángeles; es decir, se puede tratar de algún otro ser espiritual.

Cuando se produce una comunicación con un ser elevado, el mensaje es fluido, claro, sin rodeos y la percepción no se realiza mediante la activación del sentido del oído. Es decir, que el sonido espiritual no llega por los oídos. En ese momento se activa un centro energético que está en la coronilla de la cabeza que es también denominado *Chakra de la corona* y tiene su relación física con la glándula pituitaria. Es este centro el que se activa y el sonido es claro. No existe en la Tierra ningún aparato reproductor de sonido que logre semejante nitidez e impresión en la memoria.

Si alguien quiere establecer contacto con los ángeles sólo debe llamarlos por el nombre tradicional o simplemente con el nombre que uno quiera darles. Si el nombre por el que lo llamamos está equivocado, será ese mismo ángel quien lo dirá. Si uno no sabe qué nombre darle, solamente hable en su idioma y pídale que le revele su nombre. Al cabo de un tiempo usted "oirá" un flujo de pensamiento con el nombre de su ángel.

En cuanto a la comunicación en sí del ángel con usted, ésta puede ser de diversas formas. No tiene por qué darse como un flujo de pensamiento ni tampoco recibir en su mente las palabras o los mensajes directos del ángel. Pueden también darse de manera muy sutil; lo importante es que quien reciba el mensaje cuente con alguna base como para interpretar el mensaje del ángel. Según la capacidad y grado intelectual de la persona, el espíritu enviará un mensaje para decodificar o entender de una forma o de otra, pero no es necesario hacer ningún curso de interpretación de los mensajes angelicales.

No se desilusione si al principio no logra tener ningún contacto importante. Los ángeles irán acercándose lentamente y en todo caso, pondrán débiles señales en su camino para dar a entender su presencia hasta que llegará un momento en que los mensajes serán cada vez más claros y disfrutará de un gran enriquecimiento superior.

El mundo de los ángeles

Como ya lo hemos mencionado antes, los ángeles son espíritus, por lo tanto, carecen de un cuerpo físico como el nuestro; de tal forma que habitan en un mundo diferente al de nosotros. De esta manera entendemos que viven en un plano donde no sólo habitan los seres finados, sino que también es el mundo de los demonios y otros seres que no tienen materia; éste es conocido como el Mundo Espiritual; es decir, el mundo o plano inmaterial.

¿Quién rige el mundo espiritual?

El mundo espiritual es regido por la energía más grande que existe en el cosmos; esta energía es visualizada y adoptada con el Dios que cada religión y creencia tiene. Por ejemplo: Buda, en el budismo; Dios, en el cristianismo; Alá, en el Islam; por mencionar algunas. Por revelación divina sabemos que los ángeles existen y tanto en las páginas de la Biblia (Antiguo y Nuevo Testamento), como en las del libro del Islam, nos hablan de sus muchas apariciones y acciones. Los ángeles son mensajeros de Dios, seres llenos de poder que tienen inteligencia y libre voluntad; son sustancias espirituales, o sea, espíritus que carecen de cuerpo y son bienaventurados por estar gozando de la gracia de Dios en el cielo.

El mundo espiritual es dividido según las leyes de Dios; unos para hacer el bien y otros para llevar consigo el mal; de este modo encontramos a los seres de luz y demonios.

Seres de luz: aquí encontramos desde las personas que murieron, los que aún no han nacido, ángeles, querubines, serafines, arcángeles y demás. Habiendo una diferencia entre éstos, todos aquellos seres que murieron o que aún no han nacido se distinguen debido a que su energía no tiene color, siendo ésta blanca; y de todos aquellos seres que tienen un rango más alto, su energía es percibida de color.

Los demonios: el color de su luz o energía es rojo; entre más poder e influencias tenga un demonio, su luz será cada vez más roja.

Por el contrario, todas las categorías de ángeles tienen un color diferente; sin embargo, éstos van cambiando; los arcángeles son los ángeles de mayor rango, con mayor luz y energía. La luz del arcángel San Miguel será de color azul fuerte; la de San Gabriel, de color verde y así sucesivamente van adquiriendo color. Pero como lo mencionamos, los ángeles se dividen en:

- Primera tríada.
- Segunda tríada.
- Tercera tríada.

Las cuales a su vez, se dividen en jerarquías, éstas son:

Primera tríada

- Serafines.

- Querubines.

- Tronos.

Serafines: Son ángeles que se encuentran en el más alto plano celestial. Los que están más cerca de Dios. Su misión es la de alabar y cantar glorias al Señor engrandeciendo el amor universal.

Querubines: Son los guardianes de las obras de Dios. Sus templos y los caminos que conducen a una evolución espiritual y engrandecimiento de la conciencia. Tienen el don del discernimiento y expanden la luz espiritual por todo el cosmos.

Tronos: Estas entidades están relacionadas con las acciones de los hombres. Son seres que antiguamente eran llamados Espíritus de las Estrellas. Llevan un registro de las acciones en todos los tiempos o karmas. Son también los constructores del orden universal.

Segunda tríada

- Dominaciones.

- Virtudes.

- Potestades.

Dominaciones: Son los ángeles que se encuentran entre el límite de lo finito con lo infinito. Rigen dominios de conciencia expandida que es imposible pasar. Sólo los Tronos han pasado. El resto accederá cuando Dios los llame nuevamente a su seno.

Virtudes: Se encuentran en la más alta luz de los esotéricos. Ellos ayudan a la plasmación y concreción de las aspiraciones humanas. Aportan prodigios que reclaman las religiones.

Potestades: Ellos cuidan los planetas, los órdenes cósmicos y el balance entre la materia y el espíritu. Su misión es la de cuidar del reino de Dios en cada uno de sus aspectos; pueden, como todos los seres con libre albedrío, hacer uso de su discernimiento para tomar partido por un camino u otro.

Tercera tríada

- Principados.

- Arcángeles.

- Ángeles.

Principados: Son los conductores de enormes grupos de personas a través de la historia: razas, naciones, reinos, países. Vigilan de cerca las acciones de los gobernantes, reyes y jefes espirituales de los hombres.

Arcángeles: Son los seres espirituales de mayor poder que guían a grandes grupos de personas y ejércitos. Tienen a su cargo la responsabilidad de cuidar el orden en los cuatro puntos cardinales. Son los jefes de las entidades que estén a sus órdenes y trabajan constantemente para cumplir la palabra y orden de Dios. Según la tradición hebrea son 7 los arcángeles principales:

- Miguel.
- Gabriel.
- Rafael.
- Uriel.
- Zetquiel.
- Anael.
- El séptimo está desierto, debido a la revelación en los cielos.

Ángeles: Son los mensajeros de Dios. Respetan el orden jerárquico que de no cumplirlo pueden ser castigados al igual que las almas encarnadas. Los ángeles son colaboradores y auxiliares de los seres humanos; están a sus órdenes. Su misión es la de alcanzar los favores y peticiones así como también proteger a los que necesitan una ayuda para bien de su alma. Los ángeles están en todas partes. No pueden mostrarse por propia voluntad ante las personas si éstas no lo solicitan. Se nutren de la energía del amor y de la más alta luz que produce la conciencia humana en camino hacia la evolución.

Los siete arcángeles principales

Arcángel San Miguel: su nombre significa "quién como Dios"; es considerado como jefe de los ángeles y es él quien explica los misteriosos juicios de Dios y el que arroja a Satanás y a los suyos al infierno. San Miguel aparece desde la antigüedad en la liturgia. En tiempos de Constantino existía una iglesia dedicada a este Arcángel; de ahí pasó su culto a Occidente. El templo más antiguo fue el de Roma en la Vía Salaria.

Una tradición popular nos habla de tres apariciones pertenecientes a la antigüedad: en el castillo de Sant Ángelo al Papa Gregorio Magno; la del pastor Gargano que dio origen a un templo famoso en Nápoles, Italia; y la de un obispo francés que debido a un santuario célebre, llegó a ser patrono de Francia.

Arcángel San Gabriel: su nombre significa "Varón de Dios" o "Fortaleza de Dios". Este ángel fue escogido por Dios para llevar un mensaje a la Virgen María. A este arcángel se le menciona en diversos textos litúrgicos antiguos. En el siglo IX apareció su fiesta unida a la de la Anunciación; posteriormente la extendió Benedicto XV a toda la iglesia. En la reforma del calendario hecha por Pablo VI en 1969, se trasladó su fiesta al 29 de septiembre, uniéndola a la de los arcángeles San Miguel y San Rafael.

Arcángel San Rafael: su nombre significa "Medicina de Dios". Es uno de los siete ángeles que están en la presencia del Señor. A través de los años este arcángel ha perdurado gracias a la mención de los hombres y gracias al testimonio plasmado en las sagradas escrituras donde se cita la siguiente historia: *Tobías era ya anciano y se había quedado ciego, y queriendo arreglar antes de su muerte los negocios de la familia, dijo a su hijo también llamado Tobías: "cuando aún eras niño, presté diez talentos de plata a Gabelo en Ragués, ciudad de los medos y tengo en mi poder el recibo firmado de su mano. Debes procurar el modo de ir allá y cobrarle dicha suma de dinero, devolviéndole el recibo".*

Salió pues Tobías y encontró no lejos de su casa a un esbelto joven, como quien está a punto de emprender un viaje. Tobías no sospechaba que era un ángel puesto a su disposición por la Providencia. "¿Sabrías tú, le dijo, el camino para ir a la ciudad de Ragués?" "Sí, lo sé y conozco a Gabelo, respondió el ángel". Luego entraron ambos en la casa del anciano Tobías y el ángel le animó diciendo que tuviera buen ánimo y que pronto sería curado por Dios y que él acompañaría a su hijo...

El anciano Tobías fue un hombre observador, fiel de los Mandamientos de Dios y practicaba con todos las obras de misericordia... Dios estaba con él y lo estuvo con su hijo, cuyo viaje emprendido fue feliz. Por medio del ángel cobró la deuda y le elige a Sara, mujer bella y discreta, por esposa, siendo única heredera..., al regresar, le da la vista a su anciano padre..., padre e hijo acordaron darle como recompensa la mitad de sus bienes al santo varón que le había acompañado en el viaje, y éste les dijo: "bendecid al Dios del cielo y glorificadle delante de todos los vivientes"..., y se les reveló diciendo: "Yo soy el Ángel Rafael, uno de los siete que asistimos delante del Señor, no temáis; por disposición de Dios estaba entre vosotros. Bendecidle y cantad sus alabanzas".

El Arcángel Rafael es llamado ante la presencia de los casos más difíciles; es uno de los ángeles con mayor bondad, en sus manos lleva la salud de cada habitante de la Tierra; a él también se encomiendan las relaciones amorosas con problemas de estabilidad o con dificultades para concretar su amor. Este arcángel es citado aunque quizás no con la frecuencia que se cita a San Miguel por las diferentes culturas y religiones del mundo.

Arcángel San Uriel: este Arcángel tiene en sus manos el destino de las almas que han muerto injustificadamente. Para explicar este apartado, será mejor que cite este pequeño párrafo: *Uriel junto con sus ángeles se encargan de recoger a todas aquellas almas de los seres que perdieron la vida antes de su tiempo de muerte: en las guerras, guían a los seres que perdieron la vida injustamente comenzando por los niños.* La bondad de este ser es incalculable.

El arcángel Zetquiel y Anael: el ángel Zetquiel es muy parecido al ángel Rafael, sólo que el primero podrá ser tentado por el sufrimiento de los hombres, obsequiándoles misericordia propia para aliviarles de sus males. En tanto el Arcángel San Anael tiene en sus manos las almas de aquellas personas que van perdiendo sentido a la vida (quienes buscan el suicidio). Este ángel posee la bondad más grande que puede aliviar cualquier sufrimiento. A este Arcángel se le encomiendan los pesares más tormentosos que padecen las mujeres y los niños (violaciones, maltrato tanto físico como mental, tortura y demás). Y aunque estos últimos dos arcángeles no son muy nombrados e incluso hay quienes no los aceptan como tales, en las páginas de los libros antiguos aparecen con su gracia y su virtud para servirle al Señor.

Como usted lo habrá notado, hemos mencionado únicamente a seis de los siete arcángeles; sin embargo, debemos recordar que todas las religiones del mundo, hablan sobre una rebelión en los Cielos. Luzbel, siendo en aquellos tiempos el primero, se reveló ante Dios (en el cristia-

nismo), Marishitin (en China), Buda (en el budismo), etc.
Hasta ser vencido por el Arcángel San Miguel, quien tomó
el lugar primero, dejando así desierto el séptimo.

El Ángel guardián

Al momento de nacer nos es otorgado un ángel, quien se encargará de estar siempre junto a nosotros sin importar raza, clase social ni creencia. Todos tenemos el privilegio de tener un Ángel guardián que nos acompañará para toda la vida, no importa lo que hagamos ni hacia dónde vayamos.

Todos hemos vivido sucesos en los que la presencia de este ser Divino es indiscutible. ¿Quién no ha arriesgado alguna vez su vida?, ¿quién no ha sentido que alguien lo acompaña?, ¿qué conductor no ha experimentado alguna vez la sensación de que alguien le avisó, llamándole la atención y agudizando sus sentidos en el momento preciso? Todos hemos iniciado alguna vez algo con la profunda sensación de que aquello era un error, para más tarde comprobar que efectivamente, de haber seguido, las consecuencias hubieran sido desastrosas.

Existen dos épocas en nuestra vida en que nuestro Ángel guardián anda más ocupado. La primera es a la edad de dos años aproximadamente, que es cuando el niño dispone de suficiente movilidad y se dedica a explorar el mundo que tiene a su alrededor, y la otra es en la adolescencia, en la que un impulso muy parecido nos hace no tomar en cuenta los peligros a los que nos enfrentamos.

Los pequeños, antes de que alcancen la edad escolar, suelen percibir a los ángeles con mucho más claridad que las personas adultas y del mismo modo, a toda una variedad de entes incorpóreos. Con frecuencia éstos adoptan forma de niños y así comparten sus juegos y risas. En otras ocasiones, los suelen ver con apariencia de notable hermosura, hombres o mujeres. Parece ser que los ángeles sienten preferencia por los niños; aunque en realidad esto no es tan cierto, lo que sucede es que los niños mantienen la percepción y están abiertos a toda posibilidad de existencia, razón por la cual los ángeles se acercan con más facilidad que con una persona mayor.

La creencia de los Ángeles guardianes aparece en casi todas las religiones. Los romanos antiguos llamaban "lares" a los guardianes del hogar y se les veneraba manteniendo el fuego encendido en el hogar, de allí se originó el fogón o chimenea, que era el altar. Para los romanos "Juno" era el guardián de la mujeres y los "genios" eran los que guardaban a los hombres. Mientras que para los pakistaníes, los espíritus guardianes de la humanidad se llaman "Hafazah", quienes protegen a los humanos de los "Jinn", o espíritus demoniacos. En el zoroastrismo, los espíritus ancestrales que son los Ángeles guardianes, son llamados "Fravashi". Según la tradición islámica, cada ser humano tiene dos Ángeles guardianes; uno durante el día, y por la noche hay un cambio de guarda; suponen que durante estos momentos del cambio es cuando la persona está más susceptible a las influencias malévolas. La misma tradición enseña que estos ángeles llevan un registro de todas las acciones del individuo en vida y a la hora del juicio tendrán que dar cuentas por el tiempo desperdiciado y por las acciones que perjudicaron a otros.

Los Ángeles guardianes siempre predican con el ejemplo, emanan amor y siempre hablan de él. Continuamente manifiestan respeto, veneración y adoración a Dios y se inclinan cada vez que escuchan su nombre. Siempre tratan de llegar a nuestro corazón, de influir en nosotros y guiarnos por el sendero correcto.

Cuando hacemos el bien, oramos por toda la humanidad y conscientemente nos unimos a los ángeles para trabajar, empezamos a notar su presencia y tenemos la certeza de su asistencia. Debemos olvidarnos de la codicia, avaricia, deseos malsanos y morbo. Debemos usar únicamente nuestro pensamiento para el amor y manifestar un genuino deseo de colaborar con ellos.

Los ángeles cumplen la función que Dios les ha asignado, ya sea que nosotros creamos o no en su existencia, pero al acercarnos a ellos, se irán revelando de manera sutil; sentiremos la magnitud de su presencia y surgirá entre ellos y nosotros una amistad pura y bella. Siempre tendremos apoyo angelical y no encontraremos palabras para describir el sentimiento de amor que nos inspirará.

Éstas son algunas de las funciones que realiza nuestro Ángel guardián:

- Nos previene de los peligros.

- Nos ilumina el camino.

- Protege nuestro cuerpo y nuestra alma de peligros.

- Nos susurra lo que debemos hacer.

- Nos ayuda a recibir y entender los mensajes divinos.

- Reza por nosotros.

- Nos defiende de las fuerzas del mal.

- Registra nuestras buenas acciones.

- Conduce nuestra alma al cielo.

- Nos asiste a la hora de la muerte.

- Lleva hacia Dios nuestras oraciones y nuestros sacrificios.

- Intercede por nosotros.

- Nos ayuda a potenciar nuestros talentos.

- Nos inspira buenos pensamientos y sentimientos.

- Consuela a los seres que ya han fallecido.

- Nos asiste cuando le hablamos.

- Trabaja con los demás ángeles para bien nuestro, de nuestros seres queridos y de toda la humanidad.

- Cuando existe una enfermedad, propicia la curación adecuada y bendice las medicinas y tratamientos, por mencionar algunas.

Cuando le solicitamos algo a nuestro Ángel guardián, debemos recordar que ningún ángel que trabaja con Dios puede hacer manifiesto en nuestra vida algo que no nos merecemos. Es por este motivo que todo deberá ser solicitado por medio de la voluntad divina y en nombre de Jesucristo, y si corresponde a nuestro momento evolutivo, llegará para favorecernos.

Existen diferentes formas o métodos para que nuestro Ángel guardián pueda tener contacto con nosotros, o mejor dicho, nosotros podamos tener contacto con él. Antes que nada, debemos comprender que ellos están en comunicación constante con nosotros, pero debido a que no les prestamos atención, no podemos desarrollar el contacto. Por el contrario, si nosotros buscamos tener comunicación, ellos siempre estarán dispuestos a entablarla por el medio que nosotros creamos conveniente.

Antes que nada, ya mencionamos algunos aspectos que diversos autores han considerado importantes para buscar el contacto con los ángeles, pero más bien se podrían interpretar como cualidades (¿recuerdas?: esperanza, fe, creencia, etc.), ya que también hay algunas cosas que debemos limpiar de nuestro cuerpo y algunos pasos que seguir para que el contacto con ellos sea más rápido y eficaz.

- No debemos albergar odio, rencor o resentimiento en nuestro corazón. Para eliminarlo se sugiere hacer el ejercicio del perdón durante 21 días seguidos. Cuando se guarda rencor se obstruyen los centros energéticos del cuerpo vital y aparecen enfermedades, depresiones y angustias. Deberás armonizar tu vida y permitir que lleguen a ti las bendiciones del cielo. Perdona a todos los que tú sientes que te han ofendido y a los que tú has ofendido también; mentalmente pídeles perdón mientras prendes una vela rosa por día, rezando la siguiente oración.

Ángel guardián: de acuerdo a la voluntad de nuestro Padre y en nombre de nuestro Divino Jesús, por favor ayúdame y dame la fuerza de perdonar a todas las personas que yo considero que me han hecho daño, especialmente a... (nombra a la persona que crees que te ha ofendido). Intercede por mí

*para que los ángeles del perdón les lleve amor,
salud, paz y felicidad. Ángel mío, ¡necesito tu apoyo! Porque quiero vivir en paz y agradarle más a
Nuestro Padre Celestial. ¡Gracias querido Ángel
guardián!*

Al llevar a cabo este ejercicio todos los días durante este tiempo, un ángel nos estará recordando la
importancia del perdón para que nuestra vida sea
armoniosa y podamos atraer situaciones bellas.

- El segundo paso para que nuestro Ángel pueda actuar más con nosotros, es pensar en él continuamente. Por medio de la disciplina mental, deberemos
incluir en todas las cosas que hacemos. Después de
dar gracias a Dios al despertar por la mañana, debemos agradecerle por habernos dado a nuestro
Ángel; a continuación debes saludar a tu Ángel guardián con el pensamiento y visualizar que él nos toma
de la mano para conducirnos durante todo el día.

- Debemos acostumbrarnos a invitar a nuestro Ángel a todos lados; estando siempre conscientes de
que él está con nosotros, y si nos hemos olvidado
de incluirlo en algún paseo o diligencia, en ese mismo instante lo podemos remediar pensando en él,
disculpándonos y pidiéndole que esté a nuestro lado.

- Conversa mentalmente con él. Esto se puede hacer
en cualquier lugar o situación, él siempre está es-
cuchándonos. Hay que recordar que los pensamientos son cosas que van al plano que le corresponde
según su calidad y nuestro ángel puede ver todo lo
que pensamos. Pero recuerda que si los pensamientos son bajos y egoístas, lo alejan.

Es conveniente tener presente que nuestro Ángel guardián nos acompaña siempre, por lo que será conveniente, para agradecerle su protección, recordarlo con una plegaria.

AL EMPEZAR EL DÍA

Ángel de Dios, mi guarda querido
a quien su amor trae hacia mí,
sigue a mi lado todo el día,
para iluminarme y aguardarme,
regirme y guiarme.

ANTES DE ACOSTARSE

Buenas noches, mi Ángel guardián,
que pronto pasó el día;
bien o mal aprovechado, su historia
ya está escrita para siempre.
Y ahora, cordial Providencia Divina,
tu imagen pura y brillante,
cuida de mí, mientras duermo.
¡buenas noches, mi ángel querido!

A CUALQUIER HORA DEL DÍA

Santo ángel del Señor

el celoso cuidador,

ya que a ti me confió

la piedad Divina,

rígeme, aguárdame,

gobiérname e ilumíname.

Amén.

Estas oraciones son para recordarle que siempre estamos pensando en él. Ahora te mostraremos algunos ejercicios que puedes realizar para comenzar a buscar el contacto constante con tu Ángel guardián.

Para cada mañana

- Visualiza que estás en brazos de tu Ángel guardián.

- Respira profundamente tres veces, inhalando luz dorada, esencia del Espíritu Santo. Al exhalar visualiza a los ángeles transformando en amor todo lo que sale de ti. Esta esencia es repartida por ángeles dorados sobre tus seres queridos.

- Agradece a Dios el nuevo día, tu mente, todas tus facultades. Agradécele todo lo que te ha prestado para disfrutar en esta vida.

- Ofrece tus pensamientos, tus palabras y acciones para que él ocupe la energía de tus facultades en bien de la humanidad.

- Mentalmente dile que le ofreces tu voluntad, aceptando lo que el día te tiene reservado, ya sea alegría o no.

- Dale gracias a Dios por volver a mirar sus maravillosas creaciones; dale las gracias por tu Ángel guardián por todo el cuidado que él te brinda.

- Respira profundo, sonríe y comienza tu día siempre con alegría.

Para cada noche

- Cuando estés preparándote para dormir, puedes arrodillarte junto a tu cama o acostarte. Recuerda que cualquier sacrificio por pequeño que sea, emite una energía vibrante que los ángeles ocupan para purificar tu espacio y tu planeta.

- Visualiza de manera retrospectiva todo lo que hiciste durante el día en orden inverso: de la noche a la mañana. Examina y juzga tus pensamientos, sentimientos, acciones y palabras. Si por usar una de estas facultades has perjudicado a alguien o has estorbado en el Plan Divino, haz un acto de contricción, luego pronuncia un pensamiento parecido al que sigue:

  Dios mío adorado, gracias por este día que acaba de concluir; gracias por permitir que hoy, igual que todos los días, haya participado de tu bondad.

Gracias por darme la oportunidad de tener una conciencia individual y la posibilidad de desarrollarme como divino hijo tuyo. Padre, gracias por los ángeles y por mi Ángel guardián, mi amado hermano. Te ruego bendigas a mis seres queridos, envíes luz de amor a toda la humanidad y misericordia para los que han partido del mundo material. Padre mío, te adoro y te ruego perdones todas las faltas en las que hubiese incurrido hoy; enséñame a perdonar y a obtener el perdón de aquellos a los que he ofendido; pero sobre todo, Padre Mío, enséñame a adorarte cada día más. Amén.

Cuando solicitemos la ayuda de un ángel, cuando nos dirijamos a él, cualquiera que sea, hagámoslo con plena confianza: "señor ángel (pronunciar su nombre si se conoce), yo te invoco para exponerte, para darte a conocer mi problema y para que me aconsejes la mejor solución del mismo". Pero sobre todo no olvides que en cualquier circunstancia podemos invocar a nuestro Ángel guardián.

El ángel que invoquemos nos proporcionará sin la menor duda la respuesta que estemos buscando, siempre y cuando él sepa que podemos conocerla y que tal cosa está al alcance de sus facultades y posibilidades. Recuerda que nunca debes buscar el mal para nadie, de lo contrario no alcanzarás el contacto con tu Ángel guardián y éste cuanto menos te brindará las respuesta que necesitas.

Sin embargo, suele pasar que aún con toda la práctica de meditaciones, hay personas que no pueden saber el nombre de su Ángel guardián, o simplemente el ser con el que se está comunicando no le quiere revelar su identidad y procedencia. En este caso es recomendable que pronuncie la siguiente frase:

QUE DOICH QUE DOICH QUE DOICH AONAI SEBAYOT

Santo, santo, santo, es el Sebayot eterno

(uno de los nombres utilizados para significar a Dios)

que la majestad del Eterno descienda en su morada.

Gracias a estas palabras, toda entidad de la cual no sepamos su fuente ni sus intenciones estará obligada a revelar su verdadera naturaleza y desaparecer si sus intenciones pueden resultarnos nocivas. Esto debido a que muchas veces los seres malignos quieren aprovecharse de las buenas intenciones de los hombres por contactar a su ángel y buscan revelarse. Para esto debemos entender que los ángeles tienen ciertas reglas que los seres del mal desconocen y si es momento para contactar a nuestro Ángel, estos seres se pueden adelantar en nuestro camino.

Existen ciertos puntos de conexión en nuestro cuerpo llamados chakras a los que debemos recurrir para desarrollar la meditación con nuestro ángel.

La palabra Chakra es de origen sánscrito y significa rueda; denota círculo y movimiento. Los budistas hablan de ella como la rueda de la vida y de la muerte. En Oriente se relacionaba a los chakras con los cinco elementos básicos que son: Tierra, agua, fuego, aire y éter. Y si hablamos clínicamente, el cuerpo humano funciona y está controlado por el sistema nervioso central. Y es precisamente en estos puntos donde se encuentran ubicados los chakras. Durante cientos de años tal conocimiento se ha transmitido principalmente en la cultura hindú, la cual denominó a estos centros psíquicos con el nombre que hoy en día conocemos: chakras. La perfección de cada individuo puede lograrse en la Tierra a través del desarrollo de estos puntos.

Los chakras se dividen en tres grupos:

- Inferior o fisiológico.

- Medio o personal.

- Superior o espiritual.

Los chakras primero y segundo tienen pocos radios o pétalos y su función es transferir al cuerpo dos fuerzas procedentes del plano físico. Una de ellas es el fuego serpentino de la Tierra y otra la vitalidad del Sol. Los centros tercero, cuarto y quinto, que constituyen el grupo medio, están relacionados con las fuerzas que por medio de la personalidad recibe el ego. El tercer centro se transfiere de la parte inferior del cuerpo astral, el cuarto por medio de la parte superior de este mismo cuerpo, y el quinto por el cuerpo mental. Todos estos centros alimentan determinados ganglios nerviosos de cuerpo denso. Los centros sexto y séptimo, independientes de los demás, están respectivamente relacionados con el cuerpo pituitario y la glándula pineal y solamente se ponen en acción cuando el hombre alcanza cierto grado de desenvolvimiento espiritual.

Primer chakra

Es considerado como el chakra fundamental. Está situado en la base del espinazo; recibe una energía primaria que emite cuatro radios y, por tanto, dispone sus ondulaciones de modo que parezca dividida en cuadrantes alternativamente rojos y anaranjados con huecos entre ellos, de lo que resulta como si estuvieran señalados con el signo de la cruz y por ello se suele emplear la cruz como símbolo de este centro. Una cruz a veces flamígera para indicar el cuerpo serpentino residente en este chakra. Cuando actúa vigorosamente, es de color rojianaranjado, en íntima correspondencia con el tipo de vitalidad que le transfiere el segundo chakra.

Segundo chakra

Está situado en el bazo y la función es especializar, subdividir y difundir la vitalidad diamante del Sol. Esta vitalidad surge del chakra esplénico subdividida en siete modalidades, seis de ellas correspondientes a los seis radios del chakra y la séptima queda concentrada en el cubo de la rueda. Por tanto, este chakra tiene seis pétalos u ondulaciones de diversos colores y es muy radiante, pues refulge como un sol. En cada una de las seis divisiones de la rueda que domina el color de una de las modalidades de energía vital estos colores son: rojo, anaranjado, amarillo, verde, azul y violeta; es decir, los mismo colores del espectro solar menos el índigo.

Tercer chakra

Éste es el chakra umbilical. Está ubicado en el ombligo, o mejor dicho, en el plexo solar. Recibe la energía primaria que subdivide en diez radiaciones, de tal manera que vibra como si estuviera dividido en diez ondulaciones o pétalos. Está íntimamente relacionado con sentimientos y emociones de diversa índole. Su color predominante es una curiosa denominante de matices rojos, aunque también contiene mucha parte del verde. Las divisiones son alternativas y principalmente rojas y verdes.

Cuarto chakra

Chakra cardiaco. Está situado en el corazón y es de brillante color oro y cada uno de sus cuadrantes está dividido en tres parte, por lo que tiene doce ondulaciones, pues su energía primaria se subdivide en doce radios.

Quinto chakra

Chakra laringe. Está ubicado en la garganta y tiene dieciséis radios correspondientes a otras tantas modalidades de energía. Aunque hay bastante azul en su color, el tono predominante es el argéntico brillante parecido al fulgor de la luz de la Luna. En sus radios predominan alternativamente el azul y el verde.

Sexto chakra

Está situado en el entrecejo. Parece dividido en dos mitades, una en la que predomina el color rosado aunque con mucho amarillo y la otra en que sobresale una especie de azul purpúreo. Ambos colores se corresponden con los de la vitalidad que el chakra recibe, quizá por esta razón dicen los tratados originales que este chakra sólo tiene dos pétalos; pero si se observan las ondulaciones análogas a la de los demás chakras anteriores, veremos que cada mitad está subdividida en cuarenta y ocho ondulaciones, o sea, noventa o noventa y seis en total, porque éste es el número de las radiaciones de la energía primaria recibida por el chakra.

El brusco salto de 16 a 96 radios y todavía mayor radiación de 96 a 972 radios que tiene el chakra coronario, demuestran que son chakras de un orden enteramente distinto de los considerados hasta ahora. No conocemos todavía todos los factores que determinan el número de radios de los chakras, pero es eminente que representan las modalidades de la energía primaria y antes de que podamos afirmar algo más sobre esto, será necesario hacer cientos de observaciones y comparaciones repetidamente comprobadas; entre tanto, no hay duda de que mientras las necesidades de la personalidad pueden satisfacerse con limitados tipos de energía. En los superiores y permanentes principios del hombre encontramos una tan completa multiplicidad que requiere para su expresión mucho mayores y selectas modalidades de la energía.

Séptimo chakra

Coronario. Éste se encuentra en lo alto de la cabeza. Es el más refulgente de todos cuando está en plena actividad, pues ofrece abundancia de indescriptibles efectos cromáticos y vibra con inconcebible rapidez. Parece que contiene todos los matices del espectro aunque en conjunto predomina el violeta.

La unión de estos puntos nos permiten alcanzar un grado de concentración para poder realizar la meditación, la cual, a su vez, es la manera más sencilla y recomendada para hacer contacto con nuestro Ángel guardián.

Pero, ¿cómo hacer el contacto?

Cómo contactar con nuestro
Ángel guardián

Una vez que descubrimos cuáles son nuestros puntos de energía, mejor conocidos como chakras, podemos iniciar el capítulo que más nos interesa de este ejemplar. Pues bien, lo primero que debes recordar es que necesitas iniciarte en esto de la meditación, la cual es el método más sencillo para realizar el contacto.

El mecanismo es verdaderamente simple, y sobre todo, consiste en una forma o modo de prepararse tanto psíquica como psicológicamente y de instalarse con toda comodidad. Ahora sólo tienes que seguir estos sencillos pasos.

- Lo primero es buscar un sitio tranquilo, retirado; donde tengamos la certeza de no ser molestados, importunados. También podemos poner una música dulce, a poco volumen, o instalarnos en el silencio si tenemos el privilegio de escuchar un sonido o ruido de fondo agradable, por ejemplo: el roce de las hojas de los árboles y hasta el trinar de los pájaros. Éste tiene por finalidad ayudarnos a equilibrar las vibraciones. Igualmente se podrá quemar incienso, lo cual puede ser magnífico cuando invoquemos algún príncipe angélico, un arcángel o un ángel; el incienso será de loto, de sándalo o de jazmín, si bien, cuando queramos hacer una petición muy particular, el incienso de loto es el mejor porque nos permite alcanzar inmediatamente los planos etéreos más elevados.

- Encenderemos una vela pequeña, de preferencia de color azul o lavanda, o también blanca.

- En seguida, será necesario instalarnos cómodamente; es decir, sentarnos o tendernos, según nuestra preferencia, a modo de sentirnos lo más cómodo posible. Por ejemplo: hay personas que no cruzan ni los brazos, ni las piernas y además colocan las manos a cada lado con el fin de poder sentir, percibir las energías emitidas por el ángel que estemos por invocar y que se puede manifestar por una conversación, e inclusive con el tiempo, con una aparición.

- Cuando te sientas preparado, concéntrate en la música, o bien pronuncia la energía. Nos fijamos en la vela y en el humo del incienso que hemos encendido. Es preciso separarnos del espacio físico en que estamos. Cerremos los ojos sin forzarlos y dejemos desfilar las imágenes mentales que pueden aparecer sin por ello fijarnos en una de ellas.

- Empezaremos a concentrarnos cuando podamos ver que aparecen colores, tal vez no importe gran cosa el color; inclusive es muy probable que el primer color que aparezca sea el de nuestra aura, y también el color vinculado, relacionado con nuestra actividad presente. Si trabajamos en comunicaciones puede ser el azul; el amarillo, si trabajamos en el plano de la conciencia; el anaranjado, si trabajamos en el plano de la creatividad; el verde, si trabaja-

mos en el plano de los sentimientos, de las emociones, del corazón; pero si trabajamos en el plano del altruismo y de la conciencia integrada, será el índigo; si trabajamos en el plano espiritual será el violeta o el lavanda. Si el rojo aparece, ello será porque usted está muy unido a la Tierra, y que tiene más necesidad que otros, al menos en este momento de su vida, de su decisión terrestre y su destino. Sin embargo, usted lo notará al final de las sesiones, que los colores variaron en función de sus intereses y preocupaciones.

- Para llamar al ángel. Una vez bien instalado, cuando se sienta muy a gusto; por lo general se necesita de cuatro a cinco minutos, tal vez podamos empezar a llamar al Ángel guardián pronunciando su nombre; nosotros pedimos tener acceso a él y de manifestarse "aquí y ahora conmigo" deberá decir, y pronunciar su nombre. Después de esto, debe formular su petición o la interrogativa que quiere que su Ángel le responda. Es importante que la petición haya sido formulada con toda claridad, sin la intención de molestar a nadie. Por ejemplo, usted no tiene el derecho de pedir lo que pertenece a otra persona, pero sí tiene el derecho de mandar al universo y al Ángel al cual usted se dirige, pero le está prohibido privar a alguien de cualquier cosa que le pertenezca. Sin embargo, habitualmente, cuando hacemos una petición a nuestro Ángel guardián, es con el objeto de abordar con él cuestiones más importantes, respuestas e interrogantes anteriores, información sobre el camino a seguir; es sobre estas cuestiones que se reciben más respuestas, pero seamos claros, el uno no impide siempre al otro.

Si a nuestro Ángel le pedimos cosas materiales, las podrá obtener si tal cosa no va contra la forma en que vivimos actualmente, de lo contrario, nuestro ángel nos explicará la o las razones que le impiden acceder a nuestra demanda.

• Debemos ser claros y precisos. Advertencias: en sus demandas no use términos como "yo quería, "yo querría", "sería muy divertido", "desearía"; o, "sería interesante que..." Es preciso ser más claro, más afirmativo y decir: "necesito". Si no lo necesitamos no lo obtendremos, pero si nada nos impide tenerlo, lo obtendremos, pero jamás muestre vacilación.

También le podemos decir más sencillamente "yo creo que mi necesidad está", "en este momento", "si te place, aclárame para saber así si mi necesidad es como la veo en este momento, si no, muéstrame las vías que puedo tomar". De este modo obtendremos respuestas más claras, respuestas a propósito de las cuales no necesitamos planear mil interrogantes para entenderlas.

Pero también es necesario darle el tiempo de actuar. Como usted comprenderá, las demoras en la concreción deben variar según el género de petición o demanda que formulemos. Si ponemos en práctica estos sencillos pasos, muy pronto comprobaremos que pedir algo a nuestro Ángel guardián es muy simple, así están las cosas entonces ¿qué necesidad tenemos de complicarnos la vida? Ciertamente hay otros métodos más complejos que usted podría utilizar: manuales de oraciones y súplicas, de encantamientos especializados, pero eso lo dejamos más bien a sus creencias, a sus deseos.

Con todo recuerde que los ángeles están a la disposición de quien pretende la petición. Todos tenemos un Ángel guardián y, en cierta forma, debemos llamar a nuestro Ángel para que nos ayude en lo que sea.

Pero si lo que usted busca es simplemente tener un contacto con su Ángel guardián, debe empezar por aceptar que existe, que está con usted y que es el único ser que nunca lo abandona. A continuación le mostramos los pasos para una meditación a fin de escuchar el nombre de su Ángel. De esa manera podrá continuar con la meditación que le acabamos de presentar hace unos momentos, ya que hay personas que buscan tener contacto con otros ángeles a fin de aliviar sus penas; es por ello que le dimos cierta prioridad.

- Asume una posición cómoda sentado con la espalda recta y las manos sobre las piernas..., cierra tus ojos, siéntate y empieza a concentrarte en las siguientes palabras: relájate tranquilamente..., desde este momento imagina que en el lugar donde tú estás, hay varios ángeles..., presta atención, deberás usar los sentidos de tu alma..., imagina dos ángeles enfrente de ti, te están protegiendo, son seres muy bellos, son seres de luz..., todo el espacio que puedes visualizar está iluminado; ellos lo iluminan..., ahora puedes ver más ángeles..., están limpiando el lugar, visualiza tu espacio en un sitio lleno de luz de colores resplandecientes..., estás ahora protegido por los ángeles; hoy es un día especial..., hoy te contactarás con tu Ángel guardián..., hoy estás atrayendo a muchos ángeles porque todos ellos quieren contactarse..., ellos quie-

ren llenarte de amor, tranquilidad y felicidad...,
quieren expresarte su agradecimiento porque te
están acercando a tu Ángel guardián..., todos los
ángeles festejan este momento.

- Mantén en tu mente a los ángeles que te rodean...,
que te sonríen... concéntrate en tu respiración; imagina que estás inhalando aire color dorado y exha-
lando tensiones; inhala aire dorado y exhala imágenes de los ángeles transformando tu exhalación en
una luz blanca, resplandeciente, que brilla con todos los colores; es un arco iris de colores; respira
profundamente aire dorado..., los ángeles te brin-
dan la inspiración necesaria, siéntela, inhálala..., al
exhalar todo lo discordante es convertido en bendiciones..., todo lo que tú exhalas se convierte en
bendiciones..., todo lo que exhalas son bendiciones
que llenan tu espacio, que viajan y cubren a tus seres queridos. Tú eres ahora un conductor de los
ángeles...

- Ahora imagina que todo tu espacio está cubierto
con una burbuja transparente, con fulgores dorados y tú estás dentro de esta burbuja esplendorosa;
tú, junto con los ángeles estás en este lugar especial..., está protegido ahora, el amor se acerca a ti
por eso continuamente mientras dure esta meditación..., verás que más ángeles se van acercando a
ti para saludarte, por eso cada vez atrae a más ángeles ¿por qué sabes? Desde este momento empezarás a llamar la atención de los seres de luz..., tu
energía comenzará a brillar..., los ángeles se acer-
carán a ti, empezarás a notar que cada día hay más
personas que quieren estar dentro de tu aura, pro-
yectándoles un poco de tu resplandor...

- Ahora escucha una suave melodía, escucha lleno de amor…, es la música de los ángeles, la que te anuncia que tu Ángel está cerca de ti…, siente su amor, te inunda de éste…, siéntelo, percíbelo con tu corazón…, escucha las notas de amor que te emite tu Ángel y escucha…

- Percibe ahora el aroma de las flores, aquel perfume divino…, los ángeles te bañan con estos aromas de amor, belleza y armonía; respira estas bellas fragancias…, tu Ángel guardián te cubre con estas fragancias…, todo tú estás inundado de este perfume angelical, esta sustancia divina que es sólo para ti…

- Todo tu espacio está lleno de música, fragancias divinas…, todos los ángeles siguen ahí…, son bendiciones…, te bendicen continuamente, te llenan de amor, armonía y paz…

- Siente que te sumerges más y más en este estado de conciencia y no existe ni el tiempo ni el espacio, estás dentro del esplendor de los colores…, sientes su amor…

- Ahora, desde este bello estado de conciencia…, imagínate de blanco con los ángeles flotando al lado tuyo…, todos se acercan a ti…, te abrazan, te sonríen; ellos son tus hermanos; están felices porque te has acercado a ellos, porque quieres conocer a tu Ángel guardián…

- Ahora percibes una luz muy fuerte, más bella, más resplandeciente…, esta luz te envuelve…, sientes más amor; te llenas de amor; es un sentimiento nuevo; nunca has sentido tanto amor…, tú eres solamente amor…, nada más hay en ti…, sólo amor…, estás recibiendo amor, percibes su color, es parecido al rosa que has visto en la tierra..., todos tus sentidos se impregnan de este color..., sientes el amor de Dios, tu Padre..., ahora sabes que Él te ama, que siempre te ha amado. En este momento tienes una visión instantánea..., es una imagen divina; de tu corazón salen rayos dorados..., no hay palabras para describirla, todo está sucediendo en un instante; sin embargo, siempre la recordarás..., ahora sabes que todo es verdad, que tienes el amor de tus padres; el que nunca se separa de ti..., es ahora cuando eres feliz...

• Es tu Ángel quien ahora se manifiesta..., resplandece, es la personificación de tu alma..., es tu Ángel el que se acerca a ti estrechándote en sus brazos, te transmite amor..., acaricia tu rostro, te sonríe con ternura; tus sentimientos se agolpan en tu pecho..., dile lo que sientes por él..., dile cuanto lo amas..., pídele perdón por no haberte acercado antes a él..., él te ama; prométele que no te volverás a alejar de él..., dile que siempre quieres estar a su lado, que tu cabeza esté siempre apoyada en su pecho..., él te ayudará a encontrar el camino hacia Dios...

• Tu ángel te estrecha más fuerte sobre tu corazón..., es en este momento cuando te hablará y te dirá su nombre..., escúchalo con tu corazón..., aquel nombre te ayudará a evolucionar, ya que es el nombre cuya vibración hará milagros en ti..., no dudes cuando estés con tu Ángel..., siempre estarás protegido..., ahora entrégate a tu Ángel, él te dirá "yo soy tu Ángel, he estado desde el día de tu nacimiento al lado de tu alma y mi nombre es..., yo soy quien en los momentos difíciles de soledad, tensión, te envío sentimientos de esperanza, de amor, de paz de consuelo. Cada día se acortan más las distancias entre tú y yo, porque tú lo has querido, desde hoy y siempre que me lo permitas yo te guiaré y veré por ti".

- Sabrás que podrás hablarle siempre que lo necesites, él siempre está contigo; debes permitirle que te guíe, porque el camino que deberás recorrer para llegar a Dios él ya lo conoce y sólo así podrás hacer las cosas para bien...

- Ahora contempla a tu Ángel con ternura, con profundo amor, amas a tu Ángel y él siente ese amor; desde este momento tu vida ha cambiado, has permitido que tu Ángel se integre a ti. Cada vez que puedas deberás visualizarte en brazos de tu Ángel, no importa donde estés, ya sea en la escuela, el trabajo, caminando, mientras comes, no importa lo que estés haciendo. Siempre visualiza que tú estás cobijado por las alas amorosas de ese Ángel y cada noche cuando te vayas a dormir, agradece a Dios el día que permita que él esté cerca de ti y luego acurrúcate en los brazos de tu Ángel para dormir...

- Tu Ángel permanece estrechándote y así estará siempre, mientras tú se lo pidas; por eso, háblale siempre; ahora ya sabes su nombre. Siempre háblale con mucha ternura, como él te habla a ti. Desde hoy pídele que sea él quien hable con los ángeles de todas las personas con las que tienes que hablar, verás que así todos tus encuentros serán celestiales.

- Todos los ángeles que han participado en este gran evento, siguen junto a ti; todos te contemplan llenos de amor, de ternura; agradecen tu entrega a tu Ángel guardián. Ahora agradéceles todo lo que hacen por nosotros, da las gracias a Dios por darte un cuerpo físico. Tú empezarás a formar un nuevo mundo lleno de amor, porque junto con tu Ángel comenzarás a dar amor por donde quiera que vayas. Ahora eres un instrumento de luz, noble y puro; darás desde hoy amor a los que sufren, a los que necesitan de una palabra de aliento.

- Ahora agradece a tu Ángel con una dulce mirada; él te protege y nada puede pasarte; no temas cuando estés junto a él, escúchale todo lo que te está diciendo..., siempre está junto a ti, escucha lo que te pide..., que siempre recuerdes esto sin olvidar que a donde vayas, él está contigo..., nunca estás solo; recuerda que te ama...

- Ahora, cuando abras tus ojos, te sentirás más fuerte, saludable y optimista; todo lo que hagas lo harás con mayor entusiasmo; siempre será todo positivo porque él siempre estará contigo...

- Ahora pon tu atención en tu respiración, en las alas maravillosas de tu Ángel, todavía te tiene en sus brazos. Respira profundamente..., vuelve a respirar y empieza a mover tu cuerpo..., ahora respira profundamente; ahora ves y otra vez..., al exhalar abre tus ojos y mira qué tan bello es tu mundo.

Oración al ángel guardián

Agradécele su intervención a tu ángel con esta bella oración:

Ángel de mi guarda, dulce compañía
no me desampares ni de noche, ni de día,
no me dejes solo, que me perdería.
Ni vivir, ni morir en pecado mortal.
Jesús en la vida, Jesús en la muerte,
Jesús para siempre, amén Jesús.

Ángel de mi Dios, mi querido guardián,
a quien el amor de Dios me ha querido confiar;
en este día permanece a mi lado
para protegerme e iluminarme,
para guiarme y orientarme. Amén.

Ángel de mi guarda, mi dulce compañía,
no me desampares ni de noche, ni de día;
en tus brazos me refugio y me apoyo en la cruz,
hasta que me entregues a los brazos de Jesús.

Ángel de mi guarda, mi dulce compañía
no me desampares ni de noche, ni de día,
hasta que me entregues en los brazos
de Jesús y María, con tus alas me persigno
y me abrazo a la cruz y en mi corazón
llevo el dulce Jesús.

Afirmaciones, mensajes de los ángeles

Dentro de la comunicación que se busca entablar con nuestro Ángel guardián, destacan las peticiones; es decir, el motivo por el cual recurrimos a la ayuda de nuestro Ángel. Éste puede ser por algún padecimiento, soledad, desilusión, angustia, etc. Hay quienes afirman que dichas peticiones son más efectivas si se realizan por medio de las afirmaciones.

Pues bien, las afirmaciones son palabras de consuelo que nos ayudan a aliviar nuestros problemas; consisten en frases que puedes repetir en voz alta o mentalmente; se dice que hay un ángel para cada afirmación, pero bien podemos realizarla visualizando no sólo a este ser, sino a nuestro Ángel guardián también.

Ángel de la curación

La verdadera fuente de la curación es el sol interior que se irradia a través de nuestro cuerpo con sus cualidades de amor y síntesis, elevando nuestras vibraciones y las de todo el ambiente que nos circunda. La verdadera curación es saber que somos uno con Dios.

Afirmación:

Soy un canal para la energía

de curación del universo.

Yo permito que la energía

de curación de mi alma

fluya a través de mí.

Ángel de la compasión

El ser compasivo comprende al otro dentro de sí mismo con una energía y actitud positiva, atrayendo la presencia de la luz que revela la verdad y el amor que transforma y cura.

Afirmación:

Tú y yo somos uno.

Ángel de la inspiración

La inspiración va guiando a nuestras vibraciones en la vida diaria y nos permite descubrir la felicidad y alegría en todo lo que realizamos. Eso acontece cuando abrimos nuestro corazón y mente para la maravillosa energía espiritual que nos orienta y abre un camino en nuestra conciencia.

Afirmación:

Mi ser está radiante

de inspiración.

Ángel de la paciencia

Con esta cualidad, podemos seguir el flujo de la energía paso a paso en dirección al éxito de nuestras realizaciones. Si manifestamos una paciencia amorosa sin esperar que las cosas acontezcan rápidamente, estaremos conscientes de que todo lo que hacemos tiene un valor real.

Afirmación:

Mi paciencia opera

milagros en mi vida.

Ángel del poder

El poder del alma se revela con la personalidad como el propósito claro y la capacidad de decidir por el bien de todos los involucrados en una determinada situación. El poder que viene de esa dimensión anímica jamás sería ejercido por alguna cosa o sobre alguien, sino más bien espiritual que emerge cuando nos sintonizamos con el propósito de Dios para nuestra vida.

Afirmación:

¡Poder infinito,

revigorízame!

En mi ser real soy

fuerte, feliz y sereno.

Ángel de la expectativa

Se refiere a lo que quieres ver nacer a partir de ti mismo; es decir, los cambios que esperas que lleguen a tu vida a partir de lo que estás dispuesto a cambiar o buscar para tu bien.

Afirmación:

Estoy siempre

esperando lo mejor de

mí mismo.

Ángel de la educación

Debemos entender que el verdadero conocimiento llega a nosotros cuando nos sintonizamos con nuestra alma. Todo lo que recibimos del mundo exterior es sólo información, pero el conocimiento directo se encuentra dentro de nosotros; educar es permitir que la sabiduría del alma se manifieste en todos los seres.

Afirmación:

Estoy disponible y

abierto a la educación

que viene de mi alma.

Ángel de la transformación

Es un proceso misterioso que incluye en sí muchos cambios. La transformación sucede naturalmente a medida que nos entregamos al flujo de la energía divina que todo lo penetra.

Afirmación:

Estoy consciente de

la energía divina que

mueve mi ser y me

transforma en lo que soy.

Ángel de la libertad

Una inmensa libertad se siente cuando soltamos la tensión generada por los centros inferiores de conciencia; es decir, el apego al poder, al dinero y a las sensaciones y simplemente permitimos que las energías del alma se manifiesten en nuestra vida. La libertad de ser activos, positivos, hace que aceptemos amorosamente a las personas y situaciones como ellas son, aquí y ahora, sin los efectos colaterales de reacciones negativas, reactivas.

Afirmación:

La energía amorosa
de mi alma fluye a través
de mi ser
¡soy libre!

Ángel de la espontaneidad

Cuando nos liberamos de creencias y valores limitantes, la energía fluye en nosotros naturalmente. Sin las inhibiciones que aprisionan nuestra mente y nuestro corazón, desarrollamos la capacidad de sintonizar con la esencia que está dentro de las personas y de las cosas, haciendo así desaparecer el miedo y las emociones que nos impiden ser espontáneos. La necesidad de la espontaneidad es algo presente en toda la naturaleza y fluye como una añadidura del amor.

Afirmación:

Escojo ser
espontáneo en mis
interacciones con
la vida.

Ángel de la alegría

Ésta es una virtud que nos debemos colgar todos los días: ser alegres, mirar la vida con amor; ya que la alegría es luminosa y nos ayuda a tener el equilibrio en nuestras vidas.

Afirmación:

*Siento el resplandor
de la alegría,
penetrando en
todo mi ser.
Siento la alegría de
ser quien soy, aquí
y ahora.*

Ángel de la confianza

Cuando confiamos en nuestro potencial interior, jamás desperdiciamos energía. Sentimos confianza cuando somos motivados por la verdad más profunda en nosotros y no por aquello que es la expectativa de los otros aspectos de nosotros. Cuanto más permitimos que la luz del alma fluya por nuestro ser, tanto más sólida serán las bases de confianza que nos apoyarán en las acciones de cada día.

Afirmación:

*La luz del espíritu es
mi sólida base
de confianza.*

Ángel de la salud

La fuente de la verdadera salud es la divinidad interior que en todo instante nos procura aproximar al patrón perfecto del tejido cósmico, de cuya intrincada belleza somos parte. La energía amorosa que nutre nuestro ser está siempre disponible para curar cualquier desvío u olvido que dé como resultado un malestar o dolencia. Visualiza ahora cualquier parte de tu cuerpo o de tu vida que necesite ser curada siendo envuelta en la luz transformadora del amor que cura.

Afirmación:

Todo mi ser sano

y pleno de energía

amorosa.

Ángel del entusiasmo

El entusiasmo es la inspiración que viene de Dios. Es la certeza de que jamás encontraremos alguien que nos sea interesante, de que nunca viviremos momentos de tedio; cuando nos permitimos realmente vivir esa certeza, descubrimos la tremenda energía que está a nuestra disposición y que nos apoya en todas las circunstancias de la vida.

Afirmación:

Mi ser está radiante

de entusiasmo.

Ángel del nacimiento

Cuando un ciclo se completa, se está en la hora de hacer. El nacimiento es el momento de transición que antecede una gran revelación. Todo lo que nace está pleno de frescura, novedad e inocencia. Nada es más importante que el nacimiento del amor en nuestro corazón.

Afirmación:

Estoy naciendo en cada momento

para lo nuevo en mi vida.

Ángel de la integridad

La danza de las polaridades es una constante en nuestra vida: dar y recibir, reír y llorar; ser y no ser, positivo y negativo. De ese modo, cada uno lleva dentro de sí una energía. Debemos aceptar todos esos aspectos para vivir la integridad consciente de que somos canales para la expresión viva de nuestro espíritu.

Afirmación:

En la integridad de mi ser

siento y expreso la danza de la vida.

Ángel de la perfección

Es perfecto aquello que es complejo, entero. La paloma blanca no necesita bañarse para tornarse blanca, ni una flor del campo implorar para poseer fragancia. Cuando más natural y espontáneo el gesto, más pronto está de la perfección. Un énfasis excesivo en ser perfecto, aleja la posibilidad que tenemos en todo instante, de ser canales para la perfección del ser que realmente somos.

Afirmación:

En mi yo real

la vida es externa,

la sabiduría es infinita,

el amor es abundante y

la belleza es una perfección.

Ángel de la bendición

La bendición de ser consciente, de estar abierto, es nuestra mayor dádiva; es algo que jamás se restringe a una sola persona. Cuando somos bendecidos, todo en nuestro alrededor participa con nosotros de ese momento. Bendice y torna sagrado todo lo que tú eres en ese instante.

Afirmación:

Soy un ser bendecido

de muchas maneras

y bendigo todo lo que tengo.

Ángel de la compañía

Cuando hay compañía no existe dominación, las partes involucradas en una misma situación comulgan sus habilidades y talentos para crear una meta compartida. Caminar juntos en dirección a esa meta, conscientes del proceso que eso implica, es la verdadera compañía en la cual los opuestos descubren que son absolutamente complementarios.

Afirmación:

Cada ser que encuentro

es mi compañero

aquí y ahora.

Ángel de la sabiduría

Todo lo que existe fluye de la fuente de la sabiduría divina. La sabiduría surge del corazón que se abrió para comprender y formar apegos y dudas en la certeza de que podemos tener y saber todo lo que necesitamos cuando nos conectamos con el alma. Es posible tener mucho conocimiento y no tener sabiduría; la sabiduría es una cualidad del espíritu que se manifiesta en nuestra vida, inspirando la acción amorosa y proporcionando abundancia a todo momento.

Afirmación:

A través de mi conexión

con la sabiduría infinita

todo se torna posible.

Ángel de la ternura

La ternura de la brisa sobre la hierba, la ternura de un capullo que se abre en flor, la mano que encuentre el gesto perfecto, el toque que cura, la mirada de pura comprensión, sin pedir nada a cambio; la ternura se traduce en la naturalidad de nuestras acciones porque el alma disolvió todo el miedo de ser.

Afirmación:

Mi ser está radiante

de ternura.

Ángel de la comunicación

Cuando encontramos a alguien y nos conectamos con su luz interior, permitimos que más fluida la comunicación acontezca. Sea con palabras, con gestos, con una sonrisa o a través del silencio, la comunicación que surge del alma irradia interacción y sincronicidad en nuestras vidas.

Afirmación:

Expreso claramente

en el mundo la voz

de la sabiduría de

mi corazón.

Ángel de amor

"Ama a tu prójimo como a ti mismo". Cuando el poder de curación del amor fluye en nuestra vida, transforma viejos hábitos y creencias, al mismo tiempo que nos protege y vitaliza a todos los que nos rodean. Todo es por causa del amor.

Afirmación:

Cuando más aprendo

a amarme, más sé

amar a los otros.

El amor es mi razón de ser.

Ángel de la paz

La paz es un acuerdo interior con la serenidad imperturbable del alma. Eso trae un sentimiento que nos inspira a no causar daños ni ofensas a cualquier criatura del universo de Dios. La verdadera paz trasciende de la comprensión humana y sintoniza todos los seres con la armonía universal. Cuando más nos sintonizamos con la paz, más radiante se torna nuestra vida.

Afirmación:

Yo soy la

paz infinita.

Ángel de propósito

Cuando sabemos cuál es nuestro propósito, el trabajo del alma se realiza de la mejor manera posible a través de nuestro cuerpo. Un propósito claro elimina todas las dudas, pues inmediatamente identificamos aquello que nos conduce a nuestra meta o nos debía de ella; la energía de nuestras vidas es inmensa cuando una claridad de propósito está siempre presente. ¿Tú sabes cual es tu propósito de ser?

Afirmación:

Coopero alegremente

con el propósito

de mi vida.

Ángel de la responsabilidad

Responsabilidad es la habilidad de responder con nuestros talentos y capacidades a lo que nos es atribuido. Ser responsable es usar esos talentos y habilidades para el bien de todos de modo alegre y ligero. La responsabilidad sólo es un peso cuando olvidamos usar nuestras capacidades y nos desvinculamos de la energía espiritual que viene en nuestra ayuda cuando somos responsables.

Afirmación:

Mi habilidad en responder

está a disposición de la vida.

Ángel de la purificación

La verdadera purificación se procesa cuando abrimos nuestra mente y nuestro corazón al sol interior, con sus rayos de amorosa luz. Toda la energía que mantiene la memoria de la negatividad se clarifica y, así, purificamos al mismo tiempo el cuerpo y la mente. Visualiza ahora la luz de tu alma llenando todo tu ser y purificando toda célula, cada átomo, al mismo tiempo que se irradia hacia todo tu alrededor.

Afirmación:

Me baño en la luz

de mi alma todos

los días.

Ángel de la unión

En el centro del alma conocemos el sentimiento de unión perfecta que nos inspira la compasión por todos los seres. La fuerza de la unión remueve bloqueos y disuelve la indiferencia. Cuando dos o más personas están unidas en nombre del amor y la verdad, la energía espiritual se derrama en bendiciones y llena a todos con sus dádivas.

Afirmación:

Yo soy un canal para

la expresión de la unión

entre todos los seres.

Ángel de la belleza

Toda la naturaleza es bella y a través de su orden y ritmo conocemos la verdad de sus leyes. Sentir el ritmo, percibir el orden sagrado en nuestra vida es ver la belleza en un gramo de arena o a través de la apariencia más desafiante.

Afirmación:

Yo veo lo bello

en el espejo de

mi vida.

Ángel de la fe

La fe es una actitud que se revela en el gesto de abrirnos a la sabiduría y al amor de nuestra alma. Esa apertura trae consigo la certeza que cura toda duda e indecisión. Cuando caminamos en la fe, el universo nos apoya y descubrimos la fuerza interior que remueve barreras y permite que la luminosidad de nuestro ser se manifieste.

Afirmación:

Tengo una fe

inconmovible en el

poder interior de

mi alma.

Ángel de la creatividad

Lo nuevo se construye cuando abrimos mente y corazón al poder del alma y conscientemente permitimos que la energía creativa se exprese a través de nosotros. De esa forma aprendemos que el poder creativo del universo está adentro de nuestro ser y que podemos, con pensamientos, sentimientos y acciones positivas, crear nuestra propia realidad.

Afirmación:

El poder creativo del

universo está fluyendo

a través de mí

ahora.

Ángel de la disponibilidad

Estar disponible es ser capaz de utilizar la propia voluntad con amor y sabiduría. El amor torna la acción en voluntaria por medio del corazón; la sabiduría señala la dirección a través de una división clara. De ese modo, estar disponible es felicidad completa.

Afirmación:

Soy feliz; mis acciones

están organizadas por

mi alma.

Ángel de la comprensión

Cuando comprendemos realmente quiénes somos, una transformación total se procesa en nuestra vida; en la luminosidad del alma comprendemos que el verdadero conocimiento viene de nosotros mismos y se transforma en la verdadera experiencia de aprender.

Afirmación:

Comprendo todo y a
todos porque ejercito
la comprensión de
mí mismo.

Ángel del afecto

El afecto es la manifestación del cuidado amoroso del alma que trae consigo una luminosidad especial a todo lo que emprendemos, además de una conciencia de orden y de equilibrio. Cuando cuidamos aquello que nos es confiado, hay también una atracción de ayudantes invisibles que comienzan a cooperar para el éxito de lo que realizamos.

Afirmación:

El cuidado amoroso con las
personas, con las cosas y
con la naturaleza me llena
de alegría.

Ángel del perdón

Una fuerte sensación de libertad surge cuando abrimos nuestro corazón al perdón. El primer perdón es hacia sí mismo, pues solamente cuando sabemos perdonarnos es que aprendemos a aceptar a cada persona como es. El mayor poder de curación está en el perdón, que con ayuda del alma, dirigimos hacia las personas que nos hayan ofendido. El perdón lleva a reconocer la gran ley de causa y efecto en el universo y abre nuestra mente a la misericordia divina.

Afirmación:

Perdono a todos,

me perdono a mí mismo,

y perdono el pasado.

Estoy libre.

Ángel de la abundancia

Aceptar amorosamente a las personas y situaciones sabiendo que aquí y ahora están en el lugar y situación correctos es ser abundante. Abundancia no es una gran cantidad de cosas, sino estar consciente de la calidad en todo lo que se tiene.

Afirmación:

Yo soy vida abundante

y el amor de Dios vive

en mí.

Ángel de la armonía

Estar en armonía con el universo es vivir pleno de alegría, de amor, de abundancia y poder espiritual. Estamos aprendiendo a vivir en armonía con las leyes del universo percibiendo que somos parte de la naturaleza. Las personas que viven juntas en total y mutuo apoyo, abren el camino para que las energías espirituales de los ángeles fluyan en su vida atrayendo gran armonía.

Afirmación:

Estoy viviendo en
armonía con las leyes
del universo.
Estoy creando armonía
en cada instante
de mi vida.

Ángel de la bondad

La esencia de la bondad reside en darnos cuenta de la red entretejida e interdependiente que formamos con todos los seres, en todos los reinos, en todas las dimensiones. La bondad del alma nos inspira a cuidar amorosa y responsablemente nuestras relaciones con personas, animales y cosas. Ser bueno es percibir en el corazón nuestra total independencia y agradecer a cada uno por ser exactamente como es.

Afirmación:

Soy fuerte, libre

e inmensamente poderosa

de mi vida y bondad.

Nuestro ángel a la hora de la muerte

Los ángeles nos acompañan en el transcurso de toda nuestra vida e incluso hasta el último momento: la muerte. En estos instantes ellos están junto a nosotros para darnos fuerza en ese paso de una dimensión a otra.

La presencia de los ángeles y de los ya difuntos (las personas que han muerto, algún familiar del que va a morir), junto a su lecho en el momento de la muerte ha sido registrada a lo largo de la historia.

El ángel que está presente cuando una persona muere es el mensajero divino que conduce a las almas en la transición a la muerte; ayudan en el proceso de la desintegración de las formas viejas para manifestación en el plano físico. Estos grandes seres se presentan para dar paz y tranquilidad a los que se alejan del mundo material.

En algunas ocasiones un ángel puede anunciarnos la muerte, ya sea de uno mismo o de otra persona, y estos avisos suelen ser por medio de los sueños; otra forma de avisar es por medio de toquidos, que pueden ser en una ventana o puerta. Nadie, ni el ser más querido, ni el amigo más íntimo nos podrá acompañar en esa extraordinaria experiencia que es la muerte del cuerpo físico.

Cuando necesites consuelo para resistir la pena de alguien muy querido que ha partido, reza la siguiente oración.

Oh, ángel mío, ángel de amor,
ayúdame a entender
que esto es la voluntad de Dios.
Dame la fuerza necesaria
para aliviar estos momentos de tristeza
alumbra mi camino con tu luz.

Ángel sanador Divino, sana
nuestras heridas,
cura nuestro corazón y aleja de
nosotros el dolor.

Ángel del consuelo, dame fuerzas
para seguir viviendo
sin la presencia de mi ser querido.
Amén.

Rece tres Padrenuestro y tres Avemaría.

PADRE NUESTRO

Padre Nuestro que estás en el cielo

santificado sea tu nombre

venga a nosotros tu reino

hágase tu voluntad

en la Tierra como en el cielo

danos hoy nuestro pan de cada día

y perdona nuestras ofensas

como también nosotros perdonamos

a los que nos ofenden

no nos dejes caer en la tentación

y líbranos del mal.

Amén.

AVE MARÍA

Dios te salve María
llena eres de gracia
el Señor es contigo
bendita eres entre todas las mujeres
y bendito es el fruto de tu vientre Jesús
Santa María, Madre de Dios,
ruega por nosotros los pecadores
ahora y en la hora de nuestra muerte.
Amén.

Índice

**Esta obra se terminó de imprimir en junio del 2013
en los talleres de Editores Impresores Fernández S.A. de C.V.
Retorno 7 de sur 20 núm. 23 Col. Agrícola Oriental
C.P. 08500, México D.F.
Tiraje: de 1000 Ejemplares**